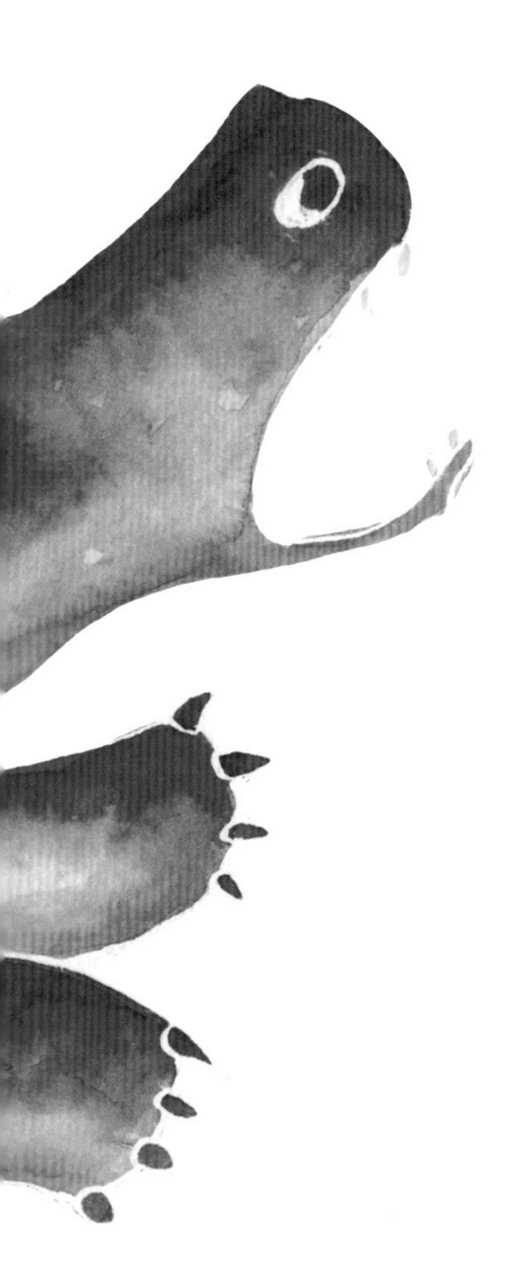

For Anna, who always laughs at my jokes.
Well, usually.
L.C.

To my young grandma, with love.
J.N.

یادداشتی تایبەت:

لەم رازەدا، وشەی چیتا وەک "ناو" هاتوە بۆ ئەوەی جۆکی کۆتایی کتێبەکە واتا پەیدا بکات.

This edition 2008

A CIP record for this book is available from the British Library

Mantra Lingua
Global House
303 Ballards Lane, London N12 8NP
www.mantralingua.com
www.talkingpen.co.uk

گەیشتن بە چیتا

Keeping Up With Cheetah

Written by Lindsay Camp

Illustrated by Jill Newton

Kurdish translation by

Anwar Soltani

Mantra Lingua

چیتا و کەرگەدەن جۆک گوتنیان پێ خۆش بوو. لەراستیدا،
چیتا جۆکی دەگوت. کەرگەدەن تەنیا گوێی دەدایە و پێدەکەنی -
بەدەنگێکی بەرز و پڕزایەڵە. جۆکەکان زۆر بۆ پێکەنین
نەدەبوون، بەڵام کەرگەدەن لای وابوو بۆ پێکەنین دەبن.
هەر بۆیەش بووبوون بەهاوڕێی گیانی گیانی یەکتر.

Cheetah and Hippopotamus loved telling jokes.
Actually, Cheetah told the jokes. Hippopotamus just
listened and laughed – a deep, bellowy laugh.
The jokes weren’t very funny, but
Hippopotamus thought they were.
And that’s why they were such
good friends.

بەڵام شتێک سەبارەت بە کەرگەدەن هەبوو کە چیتا پێی
خۆش نەبوو ـ کەرگەدەن نەیدەتوانی خێرا رابکات.

But one thing about Hippopotamus
annoyed Cheetah – Hippopotamus
couldn't run very fast.

چیتا بە پەرۆشەوە دەینەڕاند: "راکە کەرگەدەن، ئەگەر پێم نەگەیەوە
گوێت لە جۆکە تازەکانم نابێت."

"Come on Hippopotamus," Cheetah would shout impatiently. "If you can't keep up with me, you won't hear my new joke."

بەڵام سوودی نەبوو. کەرگەدەن نەیدەتوانی وەک چیتا خێرا رابکات.
هەر بۆیەش لەجیاتی ئەو بوو بە هاوڕێی وشترمەل.
کەرگەدەن هەستێکی وەک گریانی تێدا دروست بوو. بەڵام لەجیاتییان خۆی
وا بە راکردن راهێنا، کە پشووی سوار بوو و هەستی کرد دەبێ رابکشێت.

But it was no good. Hippopotamus couldn’t run as fast
as Cheetah. So Cheetah made friends with Ostrich instead.
Hippopotamus felt like crying. But, instead, he practised
running until he was so out of breath that he had to lie down.

دەیزانی کە هێشتا ناتوانێت چیتا
بگرێتەوە.

And he knew he still couldn’t
keep up with Cheetah.

بەڵام وشترمەل دەیتوانی - هەروا، کەم تا کورتێک.
چیتا بیری لەوە دەکردەوە کە چەندە وریا بووە توانیویەتی
هاوڕێیەکی تازەی وا باش بدۆزێتەوە. جا لێی پرسی:
"وشترمەل، ئایا پێت خۆشە گوێت لە جۆکە تازەکانی من بێت؟"

Ostrich could – very nearly, anyway. Cheetah thought how clever he was to have made such a good new friend. “Would you like to hear my new joke, Ostrich?” he asked.

وشترمەل گوتی: "نا سپاس، من جۆکم پێ خۆش نییە.
وەرە با هەندێک زیاتر رابکەین."

"No thank you," said Ostrich. "I don't like jokes. Let's run some more."

چیتا بەشی ئەو رۆژە رای کردبوو. ئێستا دەیویست جۆک بڵێت.
هەر بۆیەش لەجیاتی ئەو بوو بە هاوڕێی زەڕافە.
ئێستا کەرگەدەن لە جاران زیاتر هاتە سەر بڕیاری ئەوەی وەک
چیتا خێرا رابکات.

Cheetah had run enough for one day. He wanted to
tell jokes. So he made friends with Giraffe instead.
Now Hippopotamus was even more determined
to run as fast as Cheetah.

هەر بۆیەش لە شوێنێک خۆی شاردەوە و چاوی بە زەرافە و چیتا کەوت تەقلەکوت تێدەپەڕین. لاقی درێژی چیتا لەپێشەوە دەشەکانە وە و چیتاش کلکی بەملا و ئەولادا دەخست بۆ ئەوەی خۆی راست رابگرێت.

So he hid and watched as Giraffe and Cheetah galloped by.
Giraffe's long legs flew out in front and Cheetah lashed
his tail from side to side to keep his balance.

پاشان کەرگەدەن هەوڵی دا هەمان کار بکات.
بەڵام هاسان نەبوو.

Then Hippopotamus tried to do the same.
It wasn't easy.

شڵپ! کەرگەدەن کەوتە سەر زەوی. کاتێکی زۆر
پێویست بوو بۆئەوەی بتوانێت چیتا بگرێتەوە.

Hippopotamus fell down with a CRASH!
It would be a long time before he could
keep up with Cheetah.

بەڵام زەڕافە دەیتوانی ـ هەروا،
کەم تا کورتێک.

Giraffe could – very
nearly, anyway.

چیتا لێی پرسی: "ئایا دەتەوێت گوێ لە جۆکە تازەکانم رابگریت؟"
زەڕافە گوتی: "ببوورە؟ من لەو ژوورەوە گوێم لە دەنگت نابێت."
چیتا بەتووڕەییەوە بیری لەوە کردەوە کە: "هاوڕێیەک وا گوێ بۆ
جۆکەکانت راناگرێت سوودی چییە؟"

"Would you like to hear my new joke, Giraffe?" Cheetah asked.
"Pardon?" said Giraffe. "I can't hear you from up here."
"What's the good of a friend who doesn't even listen
to your jokes?" thought Cheetah crossly.

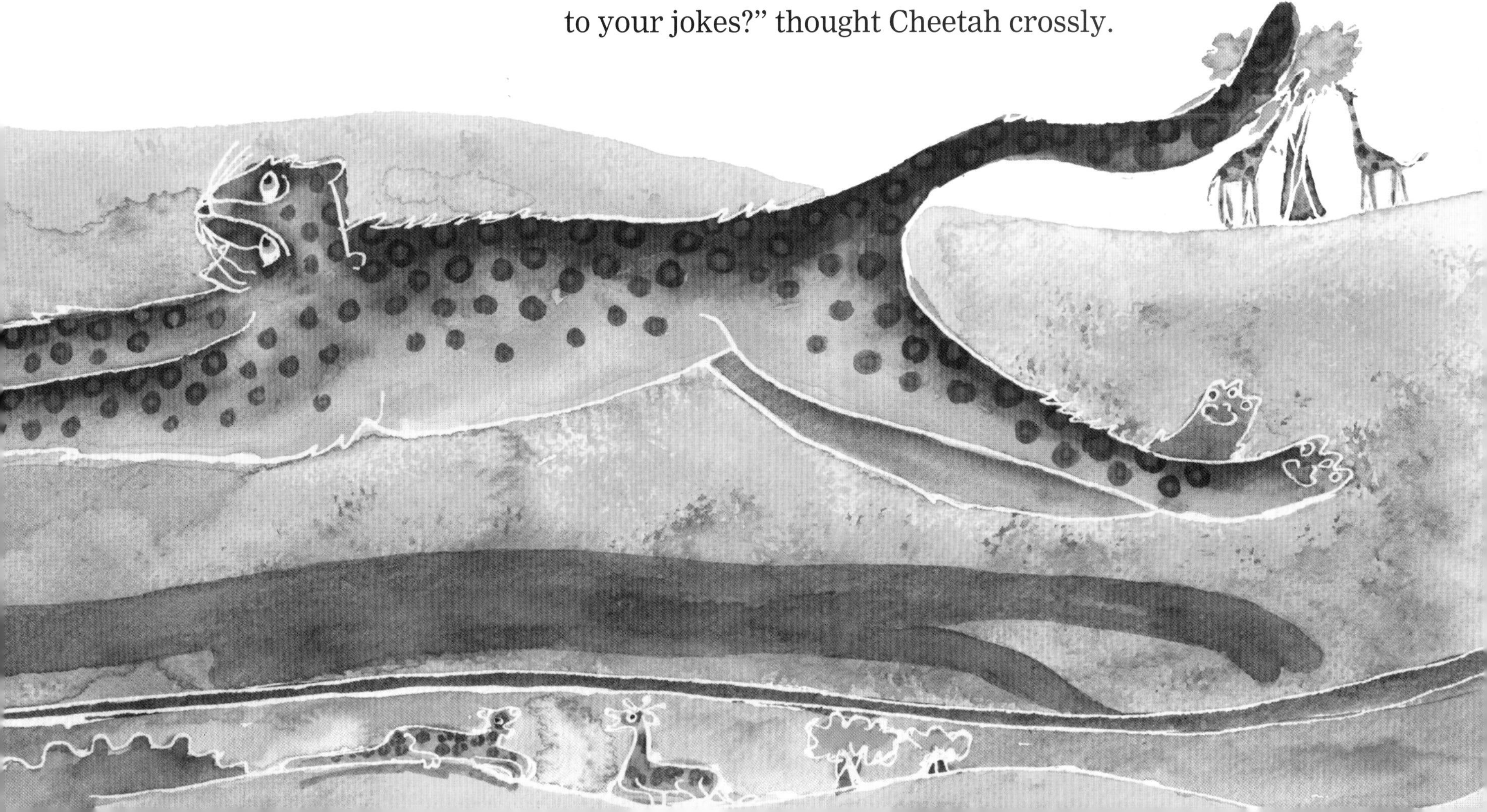

ئینجا لەجیاتی ئەو بوو بە هاوڕێی کەمتیار.
کاتێ کەرگەدەن ئەوەی بینی، هەستی بە ئازار و دڵڕەنجی کرد.
تاقە یەک شت هەبوو دەیتوانی هەستێکی باشتری تێدا بخولقێنێت.

And he made friends with Hyena instead.
When Hippopotamus saw this, he felt hot and bothered.
There was only one thing that would make him feel better.

گەوزینێکی باشی دوور و درێژ و قووڵ لەناو زەلکاوێکی قوڕاویدا.
کەرگەدەن خۆگەوزاندنی پێ خۆش بوو. گەوزینەکە هەر چەندە قووڵتر و قوڕاویتر بوایە،
لای ئەو خۆشتر بوو. بەڵام لەمێژ بوو خۆی نەگەوزاندبوو، لەبەر ئەوەی چیتا دەیگوت پیسە.

A good, long, deep, muddy wallow.
Hippopotamus loved wallowing. The deeper, the muddier, the more he enjoyed it. But he hadn't had a wallow for a long time, because Cheetah said it was dirty.

کەرگەدەن بیری کردەوە و گوتی: "باشە، ئێستا دەتوانم
هەرچیم پێ خۆش بێت بیکەم." ئینجا **تڵپ**! بازی دایە ناو
رووبارەکە. هەستی بە خۆشییەکی زۆر کرد.

"Well," thought Hippopotamus, "I can do what I like."
And he dived into the river – SPLOOSH!
It felt wonderful.

کاتێ لەوێدا لێی کەوتبوو، بیری لەوە کردەوە جاران چەندە کەم فام بووە. راستە نەیدەتوانی توند رابکات، بەڵام خۆ دەیتوانی خۆبگەوزێنێت. هەروەها گەرچی خەفەتی لەدەست چوونی هاورێیەکی دەخوارد، ئەوەشی دەزانی کە هەرگیز ناتوانێت چیتا بگرێتەوە.

As he lay there, he thought how silly he'd been. He couldn't run fast, but he could wallow. And although he was sad to lose a friend, he knew that he would never be able to keep up with Cheetah.

بەڵام کەمتیار دەیتوانی - هەروا، کەم تا کورتێک.
چیتا گەلێک شادمان بوو. جا، گوتی: "تەق تەق!"
کەمتیار گوتی: "ها - هی - هێ - هی ی ی ی!"

Hyena could – very nearly, anyway. Cheetah was very pleased.
“Knock knock,” said Cheetah.
“Ha-hee-he-heeee!” said Hyena.

چیتا بەناڕەزامەندیی گوتی: "تۆ دەبوایە بڵێی "کێیە؟" کەوابوو جۆک گوتنی من چ سوودێکی هەیە ئەگەر پێش ئەوەی بگەمە شوێنی پێکەنینی جۆکەکان، تۆ دەست بکەیت بە پێکەنین؟"

کەمتیار لووراندی: "**ها - هێ - هێهـ - هی ی - هی ی!**"

"You're supposed to say, 'Who's there?' " snapped Cheetah. "What's the point of telling my new joke, if you laugh before I get to the funny bit?"

"HAH-EH-HEH-HEE-HEE!" screamed Hyena.

لێرەدا بوو چیتا تێگەیشت ئەوەی لەراستیدا ئەو دەیەویست
هاوڕێیەکی جیاواز لە وانە بوو. ئەو بەتەنیاییش دەیتوانی رابکات،
بەڵام جۆک گوتنەکەی کاتێ خۆش بوو کەسێکی دیکەش گوێی پێ
بدایەت - و تەنیا ئەو کاتەش پێ بکەنیایەت کە دەگەیشتە شوێنە
خۆشەکەی! لەکوێ دەیتوانی هاوڕێیەکی وا بدۆزێتەوە؟

Then Cheetah realised that what he really needed was a different sort of friend.
He could run by himself, but telling jokes was only fun if someone listened –
and only laughed at the funny bits. Where could he find a friend like that?

خۆ ئەو پێشتر هاوڕێیەکی وای هەبوو! چیتا بەرەو داری بەسێبەر رایکرد بەڵام
کەرگەدەن لەوێ نەبوو. چیتا لە کاتێکدا هێدی هێدی بەرێگەدا دەڕۆیشت، بیری
لەوە کردەوە چەندە کەم فام بووە هاوڕێیەکی وا باشی لەدەست خۆی داوە.

He already had one! Cheetah ran to the shady tree but
Hippopotamus wasn't there. As Cheetah walked slowly away,
he thought how silly he had been to lose
such a good friend.

لەپڕێکدا جووتێک چاوی بینی کە لەناو
رووبارەکەوە سەیری ئەویان دەکرد.

Suddenly he saw a pair of eyes
watching him from the river.

چیتا گوتی: "تەق تەق."
کەرگەدەن گوتی: "کێیە؟"
چیتا گوتی: "دیارە، هـ ـ ییتا!"
و کەرگەدەن پێکەنی و پێکەنی.

"Knock knock," said Cheetah.
"Who's there?" said Hippopotamus.
"H-eetah, of course!" said Cheetah.
And Hippopotamus laughed
and laughed.